The Present
禮物

讓你更享受工作和生活的秘訣，
就從現在開始！

史賓賽・強森博士
Spencer Johnson

莊靜君—譯

他們都誠心推薦這本書

【消費高手節目主持人】支藝樺

【國立暨南國際大學教授】李家同

【信義房屋董事長】周俊吉

【以人為先管理顧問有限公司總經理】洪秀鑾

【終身義工】孫越

【成德建設總經理】張菁菁

【《不理會太陽的向日葵》作者】陳子衿

【主持人】曹啟泰

【主持人】黃子佼

【作家】劉黎兒

【作家】鄭華娟

【ING 安泰人壽總裁】潘燊昌

這是一本令我們讀後會深深省思的好書。

作者史賓賽・強森（Spencer Johnson）

藉著朋友間的對話揭開一對忘年之交的感性故事。

老人告訴一個認識了一年多的少年，

每一個人都擁有一份寶貴的『禮物』，

它會讓你得到某種財富，

但它的價值絕對不是用黃金或金錢來衡量的。

之後，少年漸漸長大，

成長的過程中，無論遇到任何困惑，

老人都讓他從自己的『禮物』中找答案。

老人是智者，

藉『禮物』解答了你我人生的諸般難題，

保證趣味橫生，決不沉悶。

——孫越

這是一本很有意思的書，
一個簡單的小故事，
卻點出了人人都在尋找的真理。
當你打開這本書的同時，
你也送了自己一個最棒的～『禮物』。

——陳子衿

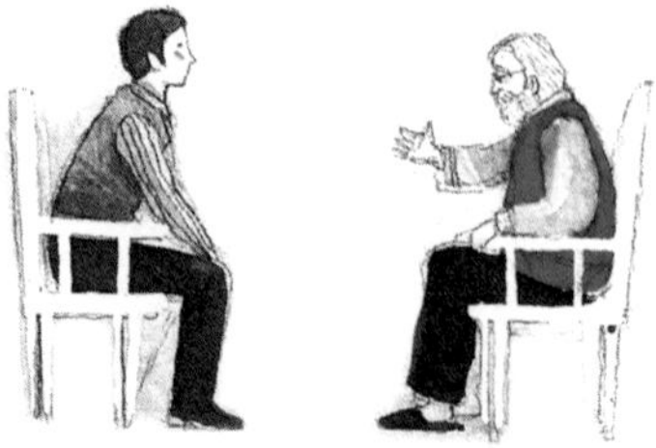

獻給所有參與此書的人們，

尤其是我的家人。

Contents

Before The Story

在說故事之前

傍晚的時候，比爾．格林接到一通緊急電話，是他的老同事麗姿．麥寇打來的。

她聽說比爾的事業做得很成功，便直接切入，『我可以馬上跟你碰個面嗎？』她的聲音聽起來很累。

比爾說『好啊』，便重新安排他的時間表，好讓他們可以在明天中午碰個面吃飯。麗姿一走進餐廳，比爾便察覺到她一臉的疲憊。

在簡短的寒暄和點過餐之後，麗姿跟他說：『我接了哈里森之前的工作。』

『恭喜啦，』比爾說：『妳升官我一點也不驚訝。』

『謝謝，但接下來的問題才多呢，堆得就像山一樣高。』她坦白說。『現在這裡跟你之前在的時候變了很多。我們人手變少了，但工作變多了。時間好像永遠不夠用，工作永遠做不完。

『不管是工作還是生活上，我都不快樂，這跟我原先期待的一點都不

一樣。

『對了，比爾，』她換了話題，『你看起來很好耶。』

『我是眞的很好，』他說：『我比以前更懂得享受工作和生活。對我來說眞的是很好的轉變！』

『喔？』她說：『你的工作有什麼不一樣嗎？』

比爾笑了起來。『沒，但感覺就像是那樣。那大概都是在一年前發生的事吧。』

『到底是什麼事？』麗姿很想知道。

比爾開始說了。『記得嗎，我以前爲了得到好的業績，老是對自己和同事要求很高嗎？我們永遠都得花很多的時間和精力去完成所有的事？』

麗姿笑了。『這我記得可清楚了。』

比爾笑著，就像被自己當初的滑稽樣給逗笑了。『的確，我和我部門的同事都學到了些東西。我們現在可以又快又輕鬆地得到不錯的業績。

『更重要的是，我過得比以前更開心了。』

『到底發生了什麼事？』麗姿問。

『就算我跟妳說，妳大概也不會相信。』

『那你倒是說說看囉。』她回答。

他停頓了一下，然後說：『我從一個好朋友那兒聽到一個故事，結果那故事成了一個眞正的禮物。事實上，這故事就叫作「禮物」（THE PRESENT）。』

『故事的內容是什麼？』麗姿問。

『故事是說一個年輕人，他發現了一個可以讓他每天更樂在工作和生活的方法！』

『每天？』麗姿問。

『是的，這就是故事的核心。

『我聽了這個故事之後，想了很多，想著要怎麼善用它並且從中受

惠。一開始，我把學到的東西運用在工作上，接下來又運用在我的個人生活上。這對我產生相當大的影響，後來連我周圍的人都注意到了。

『就像故事裡的年輕人一樣，我現在快樂多了，工作也越做越好。』

『要怎麼做？』麗姿問：『具體的方法是什麼？』

『這個嘛，我現在更能專心在手邊的事上面。我知道怎麼從過去的經驗當中學到更多的東西，也越來越會做計畫了。我也不會把那些重要的事情拖了又拖，而是知道要怎麼集中精神盡早完成。』

『你這全都是從一個故事裡學來的？』麗姿看起來很驚訝。

『嗯，全是我從那個故事裡學到的東西。每個人的工作和生活狀況都不盡相同，不同的人會從「禮物」學到不同的東西。當然，也有些人聽完故事之後，什麼也沒得到。

『這是個很實用的寓言故事，』比爾繼續說：『所以重點不是這個故事說了什麼，而是你從故事裡學到了什麼，這便是故事的價值所在。』

麗姿問：『可以跟我說說這個故事嗎？』

比爾喝了口水，放慢速度說：『麗姿，我之所以猶豫要不要告訴妳，是因爲妳總是很多疑，很容易就會對這類故事嗤之以鼻，踢到一邊置之不理。』

在這一刻，麗姿卸下心防，坦承自己壓力很大，不管是在工作還是生活上，所以才會想找比爾吃中餐，希望可以得到一些幫助。

比爾想起自己也曾有過類似的感受。

麗姿說：『我眞的很想聽聽這個故事。』

比爾一直很喜歡麗姿，也很尊敬她。所以他說：『我很願意跟妳分享這個故事，只要妳明白，不管妳是不是會從中學到東西，把它運用到生活當中，這都看妳自己了。

『而且，』他又加了一句，『如果妳覺得這個故事很受用，記得要跟別人分享。』

麗姿同意了，比爾繼續說下去。『我第一次聽到這個故事，就發現裡面有很多地方比我原先預期的還要更耐人尋味。

『聽這故事的時候，我發現自己從頭到尾都在拚命記筆記，想把以後可能會運用到的眞知灼見，一口氣全部記下來。』

麗姿想自己也許會從這個故事發現什麼有用的東西。她拿出一個小筆記本，然後說：『我準備好了。』

接著，比爾開始說『禮物』這個故事。

The Story Of The Present

禮物的故事

從前有個小男孩，他從一個充滿智慧的老人那裡聽到了『禮物』（The Present）的故事，慢慢的領悟了其中的道理。

男孩和老人認識了一年多，兩個人很喜歡在一起聊天。

有一天老人說：『它之所以稱作「禮物」，是因爲你會發現，這個禮物是在你可能會收到的禮物中最珍貴的。』

『爲什麼它會這麼珍貴？』男孩問。

老人解釋說：『因爲你收到這個禮物時，你會比以前更快樂，更有能力做好自己想做的事。』

『哇！』小男孩大聲叫了起來，雖然他還不是十分瞭解其中的意涵。

『我希望有一天會有人送我「禮物」。說不定我會在生日的時候收到

每個人都有一個屬於自己的『禮物』，

它是所有禮物中最珍貴的。

喔！』然後男孩就跑去玩了。

老人微笑著。

他想著男孩要經過多少個生日才會體會到『禮物』的價值。

老人喜歡看著男孩在附近玩耍。

他常常看到掛在這孩子臉上的笑容，聽到他吊在附近的樹上玩時爽朗的笑聲。

男孩總是那麼快樂，全心投入他正在做的每件事。其他人看到他，都會被他散發出來的快樂給感染。

男孩漸漸地長大，老人三不五時還是忍不住會關心他的工作狀況。

星期六早上，他偶爾會注意到他的小朋友在對街修剪草坪。

男孩一邊工作一邊吹著口哨。不管他在做什麼，似乎都很開心。

有一天，男孩看到老人，想起了老人跟他說過的那個『禮物』的故事。

男孩當然對禮物這種事再熟悉也不過了，比如說去年生日收到的腳踏車，還有聖誕節早上他在聖誕樹底下發現的那些禮物。

但他越去想，就越瞭解那些禮物帶給他的喜樂根本持續不了多久。

他好奇的是，『這個「禮物」到底有多特別？

『到底是什麼讓它比其他禮物更棒？

『到底是什麼才會讓我更快樂？做事更順心？』

爲了得到答案，他走到對街去問老人。

他問了一個非常孩子氣的問題：『「禮物」是不是就像魔杖一樣，會實現我所有的願望？』

『不是，』老人笑著回答，『這個「禮物」跟魔法或是願望一點兒關係都沒有。』

男孩對老人的回答一知半解，只好回去繼續修剪草坪，腦中一直繞著『禮物』轉。

男孩越來越大，始終對『禮物』充滿好奇。如果它跟願望無關的話，那指的是不是要離開去一些特別的地方呢？

意思指的是不是要到陌生的地方旅行，那裡的每件事都跟這裡全然不同：那裡的人、他們身上穿的衣服、他們使用的語言、他們居住的房子，甚至是他們使用的貨幣？他要怎麼樣才能到達那裡？

他前去和老人見面。

『這個禮物，』他問：『是不是時光機器，可以任意進出任何我想去的地方？』

『不，』老人回答，『收到「禮物」之後，你就不會浪費時間去幻想要到別的地方了。』

時光流逝，男孩成了十幾歲的少年。

他變得越來越不知足。他曾以爲自己會隨著年齡的增長越來越快樂，但他似乎總是希望得到更多：更多朋友、更多東西、更多新奇有趣的事。

他不耐地夢想著那些未知的世界。思緒總是把他拉回和老人的談話，他發現自己越來越想瞭解『禮物』的許諾爲何。

他又跑去找老人，問說：『「禮物」是不是那種會讓我變有錢的東西？』

『是的，在某方面來說是這樣的，』老人跟他說：『「禮物」是會讓你得到某種財富，但它的價値絕對不是用黃金或金錢來衡量的。』

少年感到更加困惑了。

『你跟我說得到「禮物」時，會更享受生活。』

『是的，』老人說：『然後你會更有效率，所以事情會越做越好，讓你變得更成功。』

『意思是什麼？』少年很想知道。

『變得更成功，指的就是滿足你更多的需求，』老人說：『得到所有你認爲重要的東西。』

『所以我得先確定，對我來說什麼才是眞正的成功？』少年問。

『是的，我們都得先確定這一點。』老人說：『成功的定義，也許會隨著我們人生各個不同的階段而有所改變。

『現在對你來說，成功意味著跟家人的關係更好、在學校得到更好的成績、在運動上有更出色的表現、下課後能得到打工的機會，以及因爲工作表現良好獲得加薪。

『再過些時候，成功可能指的是你更具有生產力、更富足，或者是

不管你遇到什麼事，都能以更平和妥善的心態來面對，那也是某種的成功。』

『那對你來說呢？』少年問。

老人笑了，『在我這個階段，成功指的是笑口常開、愛得更誠摯、可以服務更多的人。』

少年說：『這些都是「禮物」幫你做到的嗎？』

『當然！』老人大聲回應。

『喔，從來就沒有人給我這樣的禮物。事實上，我從來就沒有聽其他的人說過這樣的禮物。我開始懷疑它是不是眞的存在。』

老人回答：『它是存在的。但我想你恐怕還不瞭解。』

你早就知道
這個『禮物』是什麼。

你早就知道
在哪裡可以找到它。

而且你早就知道
它是怎麼樣讓你
變得更快樂、更成功。

在你年紀還很小的時候，
你就已清楚的知道，
只是你忘了。

老人問他：『在你年紀比較小的時候常幫人家修剪草坪，那時你快樂還是不快樂？』

『快樂啊。』少年回想起自己年幼的時光。

『是什麼讓你感到快樂？』老人問。

少年想了一下，然後說：『因爲我喜歡我做的事，同時也把鄰居交代給我的修剪工作做得很好。老實說，在那個年紀，我算是賺了不少錢。』

『那你工作的時候，腦子裡想的是什麼？』老人問。

『我在修剪草坪的時候，想的就只有這件事。我想的是我要怎樣把草從凹凸不平的地面清乾淨，還有要怎樣才能順利繞過那些障礙物。我想的是一個下午要修剪多少塊草坪，要怎樣才能做得好。但大部分的時間，我都只是專注在修剪眼前的草坪而已。』

他說著修剪草坪的語氣，聽起來好像這個答案是如此的理所當然。

老人把身體往前傾了傾，放慢語氣說：『一點也沒錯。這就是你爲什

麼會那麼樂在工作的原因了。因爲那一天，你比現在更快樂、更有效率地在做你正在做的事。』

可惜，少年並未花時間仔細思考他剛剛聽到的。他反而變得越來越沒有耐心。

『如果你眞的希望我快樂一點，』少年說：『爲什麼不乾脆跟我說到底什麼是「禮物」？』

『是不是還要跟你說要怎麼找到它？』老人反問回去。

『是。』少年很直接地回應。

『我很想，』老人回答，『但我沒有這個能力。沒有人可以幫別人找到他們的「禮物」。

『那是你自己給自己的「禮物」。只有你有能力可以發現它到底是什麼。』老人解釋。

少年對這個答案感到很失望，於是離開了老人。

沒有人可以幫別人找到他們的『禮物』。
那是你自己給自己的『禮物』，
只有你有能力可以發現它到底是什麼。

時間過去，少年已經是個年輕人，他決定獨自去尋找『禮物』。

他閱讀大量的雜誌、新聞和書籍。他和家人、朋友交換心得。他試著在網路上搜尋。他甚至旅行到很遠很遠的地方，希望從每個他遇到的人身上得到答案。但無論他找得有多麼辛苦，都沒有任何一個人可以跟他說什麼是『禮物』。

過了一陣子，他覺得既疲憊又沮喪，於是乾脆放棄了他的尋找。

最後，年輕人在當地的公司找到一份工作。身邊的人都覺得他看起來過得很不錯，但他老覺得少了點什麼。

工作的時候，他想著在哪裡可以找到更喜歡的工作，或者想著回家之後要做些什麼好。

他常常在開會的時候恍神，甚至跟朋友聊天時也是那個樣。吃飯的時候，他常常心不在焉，總是食不知味。

在工作上，他恰如其份地應付好手上的案子，但他知道其實他可以做得更好，他心裡明白自己並沒有盡全力去做，但他感覺不到這對他來說有什麼關係。

過了一陣子，年輕人意識到自己並不快樂。他認爲自己工作很努力，都有完成份內的工作。他總是準時上班，覺得自己整天都全心投入在工作當中。

他希望自己可以獲得升遷，這或許會讓他開心一點。

然後有一天，他發現自己受到忽略，並沒有得到他認爲自己可以得到

的升遷機會。

年輕人非常的生氣。他不知道自己爲何會在這次的升遷機會受到忽視。他努力壓抑住氣憤的情緒，盡量不表現出來，因爲這在職場上是不受歡迎的行爲。然而，他始終無法消除自己憤怒的情緒，這種情緒開始吞噬他。

他的氣憤情緒越是高漲，他的工作品質越是下降。

他刻意要讓身邊的人覺得他並不是很在意這次的升遷，但他卻打從心底深處，對自己的能力產生質疑。『我擁有邁向成功的特質嗎？』他懷疑。

這年輕人的私生活同樣也沒有好到哪裡去。他無法忘懷和女友的分手。他超級擔心自己是否能找到眞愛，是否會擁有屬於自己的家庭。

他發現自己陷入一團混亂當中。他的生活鬆散無度，一堆未完成的企

劃案、沒達成的目標和夢想。

他知道自己並沒有實現年少時所追求的夢想。每天，年輕人下了班回到家，都比前一天更疲憊、更沮喪。他似乎從沒對他自己做的事滿意過，但他不知道該如何是好。

他想起了年少時的自己，回想起那些時光，那時候的日子似乎簡單得多。他想到老人說的話和『禮物』的應允。

他知道自己並沒有好好享受工作和生活。他並不如自己所期望的快樂和成功。

或許他當初不該放棄去尋找『禮物』。

自從上次和老人說過話之後，似乎又隔了很久很久的時間。他為自己這些日子發生了這麼多不好的事感到丟臉，很不想回去跟老人求助。

最後，他還是無法滿意他的工作和生活，他知道該是去跟老人說說話的時候了。

老人看到年輕人非常高興，但很快地，他就注意到這個年輕人無精打采，很明顯一臉不快樂的樣子。他十分關心，鼓勵年輕人把心事說出來。

年輕人述說他稍早爲了尋找『禮物』所遇到的挫折，以至於他放棄追尋的過程。然後他道出了最近遭遇到的難處。

但，出乎年輕人意料的是，一把事情跟老人說了之後，似乎感覺就沒那麼糟了。

年輕人和老人在一起說說笑笑，他們享受了很好的時光。

年輕人發現自己有多麼喜歡跟老人在一起。在老人身邊，讓他覺得自己比往常還要更快樂和更有精神。

他很好奇老人爲什麼會比他認識的其他人都還要有活力，是什麼讓他

如此特別？

他跟老人說：『跟你在一起的時候，我感覺很舒服。這跟「禮物」有關嗎？』

『當然，每件事都跟它有關。』老人回答。

年輕人說：『希望我也能找到「禮物」。最好就在今天。』

老人笑著說：『爲了幫你自己找到「禮物」，試著去想想你在什麼時候最快樂、最有活力。也就是你覺得自己做事比較專注，也比較成功的那段日子。

『你早就知道要去哪裡找「禮物」，你只是沒有意識到而已。』

他繼續說：『如果你不那麼執意拚命地去找它，反而會更容易發現它。事實上，如此一來，它會變得相當顯而易見。』

然後老人建議：『爲什麼不花點時間脫離你現有的既定模式，讓答案自己找到你。』

聽了老人的建議之後，年輕人接受邀請，到朋友的山上小屋住個一陣子。

他獨自待在森林裡，發現事物的步調變慢了，人生看起來也似乎有些不同。

他花很長的時間散步，反省自己。『爲什麼我的生活無法像老人那樣？』他疑惑著。

雖然老人的事業和生活都相當成功，但他爲人非常謙虛。

他在一家信譽良好的公司工作，從最基層做起，最後升到最頂尖的位子。他試圖從不同的角度進入社區，幫助人群。

老人有個穩固、情感深厚的家庭，還有許多忠誠的朋友常常都會去看

他。他擁有絕佳的幽默感和智慧，深受大家喜愛和敬重。

最重要的是，他散發著一股靜謐的氛圍，這是年輕人所沒有的。

年輕人微笑著。『而且他還有年紀小他一半的人的精力。』

老人肯定是他遇過最快樂、最成功的人。

那麼，給了老人這麼多這麼棒的特質的『禮物』到底是什麼呢？

年輕人沿著湖邊散步，走了相當長的一段路，他仔細思考自己所知道的『禮物』：那是你給你自己的一個禮物。在你年紀還很小的時候，你就已清楚的知道，只是你忘了。

然而，他的思緒飄回了他的失敗。他清楚地記得當他發現自己並沒有得到夢寐以求的升遷時，他身在何處。那就好像是昨天才發生的事一樣，他到現在還耿耿於懷，氣憤難消。

他想得越多，就越擔心回去工作的事。

然後他察覺天色已暗，便趕緊回到小木屋。一躲進小木屋，他點起爐火驅逐寒意，發現到以前從未注意過的東西。

他凝視著火焰，這才第一次注意到小木屋竟然有個這麼棒的壁爐。它是由大大小小的石頭堆疊而成，石頭和石頭之間只用了很少的水泥。似乎有人精心挑選並擺放每一顆石頭。

年輕人這才注意到它，不由得沉浸在欣賞這個之前一直就在他眼前的東西。

不管是誰做了這個壁爐，他肯定不只是個石匠，而是個不折不扣的藝術家。

年輕人驚嘆於這個壁爐的製作是多麼地特出，他想到這個石匠在工作時的心情。

想想你在什麼時候最快樂、最有活力？

其實，你早就知道『禮物』是什麼了……

他一定是全心投入在眼前的工作，年輕人清楚地感受到這個石匠的思緒根本沒有游移或是分心，因爲這個工是做得如此之精細完美。

他在工作的時候，一定不會牽掛著過去的戀情或是想著那天的晚餐該吃些什麼。既不會花很多的思緒想著這個工作完成之後要做些什麼，也不會去想是不是有什麼比這更有趣的事要去做。

年輕人從這具傑出的石造作品，就可以看出這個石匠是多麼成功。他除了專心完成手中的工作外，絕對是心無旁騖，這讓他更樂在自己的工作當中。

那老人是怎麼說的？『要找到「禮物」，就想想你最快樂、最有活力和最成功的那段日子吧。』

年輕人想起小時候跟老人聊天，說起修剪草坪的事。他記得當初是多麼專注在割草這件事，沒有任何事可以讓他分心。

『當你全心投入在你正在做的事上頭，不胡思亂想，你就會好

好地享受生活。然後你會更快樂、更有活力。你只專注在當下發生的事上面，而那樣的專注和專心一志會帶領你達到成功的境界。』

他恍然大悟自己已經許久沒有那樣的感受了——不管是在工作或其他的事上面。他花太多的時間陷入過去的沮喪情緒中，或是擔心未來的事。

年輕人環顧小木屋裡的一切，然後再把眼神轉向爐火，就在那一刻，他沒有想著過去的事，也不擔憂未來會發生的事。

他只是簡單地欣賞他所在的地方和他所做的事情。

然後他笑了，他發現這樣的感覺眞棒。

他只是很簡單地享受自己正在做的事，享受當下的時刻。

突然之間，一個念頭閃過，原來如此！

他知道什麼是『禮物』……它一直都在；它就是現在！

禮物
不是過去
也不是未來。

禮物
就是現在這一刻！

禮物
就是現在！

年輕人笑了開來。這是多麼顯而易見啊！他做個深呼吸，放鬆心情。

他環顧小木屋的四周，用全新的角度來欣賞這一切。

他走到外面，看著樹林在夜空照射下的剪影，以及遠山山頂上的白雪。他看著月亮投射在湖面上的倒影，聽著鳥兒齊唱夕陽之歌。

他現在開始注意到許多東西，那些一直在他眼前，只是他之前從來沒有看到或留意到的東西。

他感受到許久未曾體會到的平安和喜樂。他不覺得自己是個失敗者。

他越是去思索『禮物』（**The Present**），越是覺得意義深遠。

> 把握現在（The Present），指的是專注在眼前所發生的事！指的是感激你每天所得到的禮物。

這讓他想到，每當自己專心處於現在的時刻，他就會更加警醒專注於他正在做的事，那時的他就更像是那個建造壁爐的石匠。

現在他終於領悟老人在他小時候就一直想跟他說的事。

隔天早上，年輕人神清氣爽地醒來。他等不及去告訴老人他的發現。

他起身梳理，專注在當下的時刻，訝異地發現自己活力充沛。

他記下筆記，寫下他回去工作時要做的事。他知道自己在工作上會變得更有效率時，臉上浮起了笑意。他驚訝一天的轉變會如此之大！

他想起昨晚的自己。當他專注於他所在的地方和他正在做的事，就在當時當地，他發現了『禮物』的奧秘所在。那時他根本就沒去想其他的事。

他很高興能到山上來思考，而且是獨自一人。

他提醒自己要活在現在。他深呼吸，恢復了內心的平靜。

他想，驚人的是這個道理是這麼簡單，效果卻是如此迅速。

然後，他眉頭深鎖地自問：『「禮物」眞的有這麼簡單嗎？畢竟，人生不總是那麼複雜嗎？工作的事看起來確實就是那麼複雜啊。』

他有些許的疑惑。但是，就在現在，他把自己拉回『現在』這個時

刻，感激現在所擁有的一切，他笑了。

然而，當他準備離開時，又開始懷疑了起來。

如果你『現在』身處的環境不像這個寧靜的山中小屋，可以讓你如此放鬆時，該怎麼辦？當你處於良好的狀況時是一回事，但處於不好的狀況時又是另外一回事。

到時你該如何享受『現在』？

那什麼才是對『過去』和『未來』來說是最重要的？

在他回頭尋找老人的途中，他知道自己有許多的問題想問。

然後他提醒自己，把意識拉回到『現在』，在那一刻他更加意識到什麼才是對的。

他開始喜歡起自己以及他身處的環境。他樂在享受『現在』。

把握現在

一看到年輕人雙眼炯炯有神，帶著開朗的笑容走近，老人便大聲說：

『你看起來就像是找到了「禮物」！』

『我是真的找到了！』年輕人興奮地說。

老人笑容滿面，他知道年輕人一定辦得到的。他們倆很開心地聚在一起。

然後老人說：『告訴我這是怎麼發生的。』

『這個嘛，我發現我一不去想「過去」發生的事，也不去憂慮那些「未來」可能會發生的事，整個人就快樂多了。

『突然之間，這道理再清楚也不過。「禮物」，是你自己給自己的禮物，就是——現在，此時此刻。我瞭解到「把握現在」意思指的就是專注

在此時此刻發生的事。』

『的確，』老人說：『這也代表著兩個方面。』

年輕人沒有在聽老人說話，反而自顧自地繼續說：『我是在一個很棒的環境裡發現「禮物」的，那時我正在朋友的山上小屋。』

接下來，他猶豫地問：『我很懷疑如果是在很糟的環境裡，「把握現在」對我會有什麼幫助？』

老人反問他：『當你開始意識到「禮物」時，你有想過那個時候，有哪些事是好的，哪些事是不好的嗎？』

『我想的都是那些好的事，即便有些事還是往不好的方向走。

『我知道自己待在一個美麗的地方，正享受著寧靜的時光。』

老人說：『想想這個：

即使在
最惡劣的環境裡，

在當下的那個時刻，
如果你專注在
好的事上面，
它會讓你變得更快樂，
就在今天。

它給予你所需要的
活力和自信
去解決
那些不好的事。

老人說的話很有道理。『「把握現在」意思指的就是專注在此時此刻發生的事。

『不光是這樣，』年輕人補充說：『指的也是要專注在好的事上面。』

『是的。』老人說。

年輕人又想了想。『那的確很有道理。我在很糟的情況下，想的往往都是那些不好的事，那總是讓我沮喪灰心。』

『很多人都是這樣。實際上，大部分的情況都交雜著好壞與對錯。這一切全都仰賴你怎麼看待它們了。

『你越是專注在「好的事」上面，你今天就會更有戰鬥力，也會變得更成功。

『你越是鑽牛角尖在不好的事上面，』老人說：『你就會變得越來越沒有活力和自信。這就是爲什麼，當你發現自己處於「很糟」的情況時，

就得努力去找到其中「好」的一面，雖然這是很困難的事。一旦找到，就要懂得好好地珍惜它，並把它作爲一切的基礎。

『此刻你越是懂得珍惜「好」的事，你就會越快樂。你會變得越輕鬆，更容易去「把握現在」，更加享受現在。』

年輕人問：『如果「現在」非常痛苦該怎麼辦？比如說失去了最愛的人？』

『痛苦，』老人表示，『差別就在它和你所期望的不同。

『當下的痛苦，就跟其他的每件事一樣，不斷地在改變。它會來也會離開。

『當你全心處於現狀，感受這個痛苦，覺得自己快被折磨到死了，記得開始去找尋那些好的方面，然後把它們作爲你復原的基礎。』

年輕人開始做筆記，以便記住所有新發現的東西。

他說：『爲什麼我有種感覺，就是我到目前爲止學到的東西，都只是

『禮物』就是『把握現在』！

冰山的一角而已，底下還藏有許多我不知道的？』

老人說：『因爲你才剛開始去領會那些等著你去發掘的道理。

『既然你已經自己找到「禮物」，又熱切地想知道更多，我很願意跟你分享我所知道的一切。』

年輕人說他一定會很感激，於是老人繼續說。

『經歷痛苦並從中學習是很重要的事，』他說：『絕對不要試著轉移注意力到其他的事物上。』

把握現在，
不要分心，

專注在此時此刻，
重要的事上面。

今日你所選擇關注的事，
創造了屬於你自己的現在。

年輕人說：『所以，即便是在很糟的情況下，我也不能將注意力轉移到那些不重要的事上面，這樣我才能好好地把握現在。』

『可以從你自己的生活上找到一些例子，』老人說：『你之前說過你在工作和過去的情感上，遇到一些困難。

『你可能要問你自己：「我常常在工作上分心嗎？還是，我有全心投入在重要的事上面嗎？」

『再想想在工作以外的生活。

『你之前跟戀人相處時，當下投注了多少的心力？你們兩個在一起時，她是否有重要到讓你把全部的心力放在她身上呢？

『在男女關係上，你得專注在對方身上，懂得對方的「優點」和「缺點」，這樣一來，可以早日發現潛在的問題，而不是等到問題發生時再故意推託。

『我寧願不要給你別人怎樣善用「禮物」，變得更快樂、更成功的例

子，而是在未來的幾週，讓你自己去發掘、印證，這樣會更有意義。』

年輕人說：『在我離開之前，我可以問你關於「過去」和「未來」的事嗎？』

老人回答：『我們過一陣子就會討論到這兩個重要的領域。但現在，就讓我們好好地把握現在吧。

『當你好好把握現在，專注在今天對你來說重要的事上面，你自己就會發掘到許多很棒的事。』

年輕人相信老人說的話是最明智的，他拋開了對『過去』和『未來』的疑慮。一這樣做，心裡頓時快活了許多。

年輕人展開笑顏，只要處理眼前的事，的確是簡單容易多了。他覺得壓力減輕了些，也更有自信了。

他知道如果他可以在今天做到把握現在，那在以後的日子裡，他也同樣可以辦得到。

在他離開之前，他簡單扼要地記下目前所學到的：

專注在眼前所發生的事。

珍惜在此情境下那些『好的』事，並以之爲基礎。

全心投入於現在重要的事上面。

他跟老人道謝，說他已經準備好回去工作，會試著好好運用他所發現的。

他知道這意味著他得同時留意事情的好壞兩面，這樣才能克服那些阻礙，讓自己更懂得樂在工作、更加成功。

隔週他回到工作崗位時，年輕人重新審視他跟老人對話時記下的筆記。

然後他坐下來完成懸在他腦子裡好一段時間的案子。這個案子會延宕多時，是因爲他認爲要搜齊所有的資料是件非常困難的事。

接下來，他得要好好運用他學到的。

他花了點時間，讓自己好好地專注在現在。他深呼吸，環顧四周，領會到此時此刻好的一面！

他瞭解到自己也許不能獲得升遷，但至少還保有這份工作。他有個相當不錯的工作環境，十分地安靜，而且井然有序。

他的工作還有一堆的表現機會，可以讓他獲得賞識。

他領悟到，只要稍不留神，就可能忘了去享受他現在所擁有的東西。

接下來，他專注在眼前重要的事。他知道這個案子得有所進展，然後他才可以藉此建立他完成下一個任務的能力和自信。

他開始一個一個解決問題，同時也遇到好幾個阻礙。然而，他不但沒

有分心去做別的事，反而選擇把握現在。

他只專注在他在此刻需要去做的事，繼續往前邁進。

讓他驚訝的是，他花了幾個小時就完成了工作。雖然這只是個小小的案子，但他覺得非常有成就感，因爲他知道自己完成了一件完整的工作。

他心裡想：『我已經很久沒有這麼享受工作了。

『把握現在，眞的對我很有用。』

在接下來的好幾個星期，年輕人都沉浸在工作當中，表現出的工作熱忱和專注，是他身邊的人所很少見到的。

在他領悟『禮物』之前，他常常在開會的時候發呆，老是夢想著升遷的事。

現在，他知道如果他今天想要把工作做好，最重要的事就是要專注在此時此刻。專注在當下好的那一面，並以之爲基礎。

他知道他不可能在生命中的每一刻都把握住現在。但如果他今天可以盡量做到的話，那他明天也一樣可以做得到。如果他每一天都花更多的時間把握現在，他就會更快樂、更有效率和更加成功。

現在，當別人在發言時，他會放下正在思考的事，專心去聽別人說話。他努力參與其中的討論，要求自己每次至少要貢獻一個新的想法。

很快的，年輕人的客戶和同事都感受到他的改變。以前容易分心的他，現在開始認眞關心他人的需要，以及他可以爲客戶和公司做些什麼。

在他的個人生活上，他的朋友也注意到他的改變。他更懂得認眞地聆聽他人的話語，就和老人聆聽他時是一樣的。

起先，他得很努力去克制自己要專注在『現在』，不要飄到悔恨『過去』，或是憂慮『未來』的情緒當中。他越是經常訓練自己『把握現在』，越是發現這也不是件困難的事了。

由於他對事情看法的改變，他的工作和生活也同樣獲得了改善。

他展現出來的熱情和有擔當的態度，引起主管和朋友的注意。

他開始領悟到工作要做得更好，才有可能獲得升遷的機會，那樣的他才眞正値得獎勵。他對主管的憤恨開始消退，至少有時候是這樣的。

或許最重要的是，他遇到了一個很棒的年輕女子，兩個人的關係進展得很好。

每件事似乎都進行得非常順利。他花越多的時間把握現在，就覺得自己更有活力，更懂得掌控自己的生活。他變得更有自信、更有毅力，工作也更有效率。

他珍惜自己所擁有的東西，專注在『現在』對他來說重要的事情上，重點是，他很享受這一切。

難怪老人說『禮物』是你可以給自己最棒的禮物。

然而，就在他認爲自己知道要如何『把握現在』時，另一個問題來了。

問題出在他跟另一個同事共同處理的案子。那一個人付出心力和主意都很少。年輕人既沒有跟那個人溝通要她盡點心力，也沒有跟主管提出這個問題，他獨自扛起這個案子。

不久，他的進度遠遠落後。最後，他無法在期限之內完成工作。這是個很重要的案子，他的主管對他的表現非常失望。

年輕人覺得自己失敗了。他新建立起的自信心漸漸流失。

到底發生了什麼事？他認爲他已經全心全意投入在當下的時刻。

失望透頂的他，垂頭喪氣地坐在位子上，覺得好累。

他很想知道，在同樣的情況下，老人會怎麼做。

他想也想不透，決定回頭去找老人。

向過去學習

老人注意到年輕人一臉的沮喪，但仍舊溫暖地迎接他的到來。『我就知道你會來。』

年輕人開始說：『你跟我說，不管我在做什麼，只要懂得「把握現在」，就會讓我更快樂、更成功。

『我很努力地專注在「現在」，也看到了這樣做帶給我自己的好處。但似乎這還不夠。』

『我一點也不驚訝。』老人說：『要全心擁抱「現在」，光處於當下還不夠，你得做得更多。

『但我等著你自己去發現這一點。』

老人要年輕人說說他目前遭遇到的問題，然後他說：『所以，你對另

一個人工作怠惰的反應是自己扛起責任，而不是直接把問題提出來。』

然後他問：『你不是說你以前也做過一樣的事？』

『是的，』年輕人承認，『那是因爲我一向不喜歡跟人家正面交鋒。我的主管說這是我不擅長管理和領導的原因之一。』

然後他又說：『不只是在工作上。我之前的女友也說過我總是忽視我們之間的問題，這也是我們分手的原因之一。

『我時常會想到自己沒被升遷的事。我不知道爲什麼在這件事上面就這麼放不開。』

老人說：『或許這幾句話對你會有幫助：

放掉過去，
的確很難，
如果你沒有從過去學習。

一旦你懂得從過去學習、
懂得放開過去，
你便可以改善現狀，
就在今天。

『禮物』就是『向過去學習』！

『我很喜歡這幾句話，』年輕人說：『聽起來很有道理。』

然後他問：『你介意我換個主題嗎？我想問你爲什麼懂這麼多？』

老人笑著說：『這個嘛，我在一間很有意思的公司裡工作了好些年，聽到許多人聊他們的工作和生活。有些人日子過得很不好，同時也有人過得很不錯。不過，我注意到他們都有一個共通的模式。』

年輕人問：『你從那些日子過得很不好的人身上注意到哪些事？』

老人可以感受到年輕人現在的心境。『你沒有先問那些日子過得不錯的人，的確是很有意思。』

『哎呀。』年輕人說。

『的確是。你也許會想搞清楚自己爲何會傾向從錯誤開始，也想知道從過去學習是不是眞的對你有用。』

然後老人說：『我知道你遇到一些難題，如果你同意的話，我們就從那裡開始吧。』

『大部分遇到困難的人都會擔心那些以前犯過的錯，或是煩惱那些可能會犯的錯。』老人說：『還有些人會氣那些他們在工作上曾經發生的事。』

『我知道那種感覺。』年輕人回應。

『那些表現得很好的人，在那種時候只會專注在工作上。他們跟別人一樣會犯錯，但他們懂得從中學習、放開錯誤，然後繼續往前走。而且他們不會一直在原地踏步，埋怨錯誤。』

老人繼續說：『我覺得你沒有好好地正視自己的「過去」，無法從中學習，反而故意忽視它。

『很多人對「過去」視而不見，因為他們不希望被困在「過去」裡。他們會這樣說：「是我過去的經驗，把我帶到今天這個地步。」但他們不會問如果他們有好好地去面對過去的經驗，並且從那些讓他們不好過的經驗裡面學到東西，他們今天會在什麼樣的地位。

『結果他們什麼也沒學到。』

年輕人說：『像我，就是不斷地犯著同樣的錯誤。以那個角度來看的話，現在就跟過去沒什麼兩樣。』

『說得很好。』老人回應。『如果你不用心去感受過去，從中學習，你就會無法好好享受現在。一旦你眞的從過去的經驗學到東西，那就更容易去享受現在了。

『的確，人不能老活在過去——那你就無法活在當下——但運用過去的錯誤經驗去學到東西是很重要的。或者，如果你在過去已經做得相當不錯了，試著去瞭解原因，然後作爲你成功的基礎。』

年輕人感到很困惑。他問：『那我什麼時候該好好把握現在，什麼時候又得從過去中學習？』

『眞是個好問題。』老人回答。『你也許會發現這幾句話很有用：

不論何時，
只要是你對現狀感到不滿，

並渴望更加享受現在，

那就意味著，
你得從過去中學習
或者試著去計畫未來。

『只有兩件事可以剝奪你「現在」的喜樂：一個是你對「過去」的負面思想，另一個就是你對「未來」的悲觀態度。』

老人提議：『先回頭去看看你自己如何看待「過去」，你也許會發現非常受用。

『我們之後再來討論「未來」。』老人保證。

年輕人說：『所以，任何時候，只要我感到有什麼事阻礙我享受現在，或讓事情進展得不順遂，就是我該回頭審視過去，並從中學習的時候。』

『是的。』老人答覆。

老人強調：『任何時候，只要是你希望現在比過去更好、或是更享受現在，就是你該去學習的時候。

『當你因爲過去感到沮喪或悲觀，影響到你的現狀時，那就是你需要花點時間回頭審視過去，並從中學習的時刻了。』

年輕人問：『為什麼當我有負面思想的時候，會是個學習的好時機？』

老人回答：『因為你可以用你自己的感覺去學習。』

『那我要如何學習？』

老人回答：『就我所知，最好的方法就是問你自己三個問題，你得竭盡所能地誠實回答：

『過去發生了什麼事？

『我從過去的經驗中學到了些什麼？

『我現在要怎麼做才會變得不同？』

年輕人想了想說：『換句話說，就是仔細審視之前所犯下的錯誤，還有自己對那件事的感覺。然後想想現在要怎麼做才會有所改變。』

『是的，但不要對自己太過嚴苛。別忘了那時的你，已經竭盡所能做到最好的了。現在的你比以前懂得更多，所以可以做得更好。』

年輕人說：『所以，如果你的行事作風沒變，結果就會是一樣的。一旦你的作風改變，結果就會有所不同。』

老人家說：『是的，好處是你從過去學到得越多，悔恨就越少，就會有越多的時間好好把握現在。』

在離開之前，年輕人記了許多的筆記：

仔細審視你對過去事件的感覺。

從中學到一些寶貴的經驗。

善用學到的東西，
更享受今天的工作和生活。

你無法改變過去，
但你可以從中學習。

當同樣的事情發生時，
你可以用不同的方式來面對，

並從今天起
變得更快樂、更有效率、更成功。

隔天一早去上班的路上，年輕人想著老人說的話。

那天，他努力地工作，全心全意埋首在當下的時刻，他希望有機會能從過去學到東西。

當和他搭檔的女同事又沒盡力做好她份內的工作時，他很誠實地把自己的憂慮跟她說了。

一開始，她對年輕人提出的要求十分生氣、抗拒。但是，在一番長談之後，她反而很高興年輕人可以對她如此坦白。她領悟到做好份內工作的必要性，甚至還跟年輕人說她也很希望自己可以把工作做好。

年輕人從過去的經驗學到東西，而且用不同的方式來處理問題，這讓他感覺很棒。接下來的幾個星期，年輕人運用他學到的東西，在工作上變

得更有效率。

他跟同事的關係也有了很大的改善。最後，他的主管交付給他更多的工作責任，而他終於如願以償地獲得升遷。

在他個人的生活裡，他花更多的時間跟那個年輕女子相處，持續發展對兩個人來說都很重要的關係。

這段時間，他迅速成長茁壯。

然而，面對新職務增加的工作量，他發現自己無法成功地做好每件事。

好在他還記得常常提醒自己要深呼吸，專注在當下的時刻，這給了他很大的幫助。

可是，他每天一到公司，發現有越來越多的工作等著他去做。

他完全沒有好好規劃每天的工作表，也搞不清楚需要先完成哪些事。

從這個案子換到另一個案子，他花太多的時間在不重要的事上面，卻忽略了那些急需在期限內完成的重要工作。

不久，他完全無法掌握工作的進度。他的主管質問他的時候，年輕人只能無力地攤開雙手推說工作太多而時間太少。他的主管開始懷疑當初是否該提攜這個年輕人。

沮喪又無所適從的年輕人，決定再度拜訪他的老朋友。

創造未來

『最近好嗎？』老人問。

年輕人笑得很不自然，說：『時好時壞。』然後他說起自己的爭戰。

『我不明白，』年輕人說：『我已經全心埋首在現在。

『人們讚美我全心專注在工作上的能力。

『我努力從過去的經驗學習，不再停留在過去的悔恨當中。我善用學到的東西，現在也做得比以前好。

『然而，我卻無法處理好每件事。也許這份工作超出我的能力。』

老人點著頭。『也許現在是這樣沒錯。你不明白的原因是因爲你還沒發現「禮物」的最後一個要素。

『是的，你從過去學到東西，善用所學改善現在，全心活在當下，我

『禮物』就是『創造未來』！

察覺到你更懂得欣賞周遭的人事物，身在其中時也更有活力。所以你已經大有進步。

『但是，你還沒有領會到第三個要素的重要性——未來。』

年輕人說：『但如果我陷在未來太深的話，我就變得很焦慮。我知道那種感覺，當我發白日夢想著那個我渴望擁有的房子、想獲得的升遷，或是想得到的家庭，我就無法活在當下。我感到迷惘。』

老人說：『的確是。不應該陷在未來，那會讓你迷失在擔心和焦慮當中，而是應該要設法創造未來。

『讓未來比現在更好的唯一方法，除了好運以外，就是設法創造它。

『即使你真的很「好運」，你的運氣也會有用完的時候，到時還會帶來一堆其他的麻煩問題，所以你不能仰賴運氣去得到好的未來。』

『你說的「設法創造未來」指的是什麼？』年輕人渴求知道。『創造未來跟把握現在有什麼關連呢？』

『這個嘛，其實我們都在設法創造部分的未來，只是我們不太知道而已。』老人透露出這個訊息。

『顯然沒有人可以掌控未來。然而，在當下這個時刻，我們今天所相信和去做的每件事，都創造了明天會發生的事的很大一部分。

『如果你對未來有任何消極負面的想法，不論是在工作上或是生活上，那你今天的活動力就會是消極的，你創造的就會是比較糟糕的明天。』

『所以，』年輕人說，『如果我今天所相信和去做的事是比較積極正面的，就有助於創造比較理想的明天！』

『沒錯。你可以信賴它，』老人說：『這個方法對每個人都相當奏效！』

然後老人建議：『如果你想設法創造「未來」，就從把握現在開始。首先，珍惜現在這個時刻所有正面的事，就是現在！

『然後，試著去想像比較理想的未來會是什麼樣子，做個實際的計畫去實現它，最後想盡一切辦法去幫助它實現。』

『所以，第一件事就是我要去想像未來。』

『是的，越詳細越好，好讓它眞實的呈現在你眼前。

『下一步，就是制定計畫。那會是你的指南針。它會指引你的方向，幫助你專注在現在需要去完成的事，帶領你到達夢寐以求的未來。

『今天就做計畫，並付諸行動以幫助自己實現目標，可以減少你的恐懼和不確定感，因爲你採取主動性一步步地朝未來的成功邁進。你知道自己在做什麼和爲什麼要這麼做，因爲你知道這會帶領你邁向你所展望的未來。

『你可以這樣想：

沒人可以預測未來，
也沒有人可以控制未來。

然而，你越是清楚去想像你所期望的未來，

好好地去計畫它，
然後現在去做些事情幫助它實現，

那你現在的焦慮就會越少，
就會越瞭解未來。

老人繼續說：『不管是我們的工作或是生活，我們的夢想和目標不如預期，最常見的原因便是：缺乏想像、計畫和實現。』

年輕人問：『那我什麼時候該去設法創造未來？』

老人說：『在你懂得感謝珍惜現在所擁有的東西的時候，再來，就是當你希望未來可以比現在更好的時候。』

年輕人問：『那你覺得怎麼樣做最好？』

『想想怎麼回答這些問題：

『現在對我來說什麼是積極的？給我的感覺又是什麼？

『美好的未來是什麼樣子？

『實現它的計畫是什麼？

『我今天該怎麼做才能實現它？

『你越是清楚地描繪出你希望的未來的樣貌，深信實現的可能性，就越容易去制定你的計畫。

『一旦有了計畫，在你得到更多的資訊和經驗的時候，都可以隨時修正，那它就會變成一個更加有彈性、更實際和更有可能達成的「活計畫」。

『最重要的是，每天都要去做該做的事，即使是那些你認爲微不足道的小事，但那都會幫助你美夢成眞。』

年輕人寫下筆記：

就從今天開始
描繪出一個美好未來的樣貌。

制定一個實際的計畫。

付諸行動讓美夢成真。

年輕人的眼睛散發出光彩。『這三個要素眞的非常有用。如果我不照著做，很容易就會迷失方向。

『我似乎常常把時間浪費在那些根本不重要的事上面，然後沒花多少時間在那些需要我多留心的事。

『我已經有點理解爲什麼我會感到這麼不知所措。我沒有花時間去想像、計畫，然後執行我的計畫。』

老人建議：『你也許可以把「禮物」的三個要素視作支撐一台昂貴攝影機的三腳架，用這三支腳達到完美的平衡效果：把握現在、向過去學習、設法創造未來。

『移動其中一支腳，三腳架馬上就會塌掉，但如果靠它們三個來支撐，一切就得以運作順暢。這就如同你的工作和生活。

『然而，如果你沒有去把握現在，你就無法察覺身邊發生了什麼事。如果你沒有從過去的經驗裡學習，你就無法準備好去創造未來。如果你沒

有好好地去計畫未來，你就會變得漫無目的。

『只有用現在、過去和未來這三個元素組成的三腳架，來支撐平衡你的工作和生活，你對面臨到的一切才會更有把握。

『以後不管你遇到什麼問題，都可以應對自如。』

思索著老人跟他說的話，年輕人抱著更加興奮、明確的心情回到工作崗位。

每天早上，他先想好預期要做的事，做好當天的計畫，這讓他有充分的空間可以靈活地去面對每天的突發狀況。同時，他也設定好每週和每月目標。

開會之前，他會仔細檢視自己打算達到的目標。

只有同時把握現在，從過去的經驗學習，
好好地計畫未來，你的人生才會更棒！

在得知案子的期限之後，他會制定好工作進度表，要求在特定的時間內完成確切的目標。

他運用相同的模式規劃個人生活。他在日曆上標上重要的事情，照著日程做好計畫。

跟朋友見面時，他會留寬裕一點的時間讓自己從容地抵達約定地點。不論是在生活還是工作上，他不再等到最後一刻才匆匆行事。

因著想像、計畫未來，提升了現在的工作效率，使他更能激勵他人，完成更多的工作目標。他感到前所未有的快樂，也更能掌握自己的生活了。

漸漸地，他的主管認可了他的工作能力，再度提升他的職位。

最重要的是，年輕人訂婚了，與他的生活伴侶一起想像、計畫他們的未來。

年輕人每天去工作時，都善加運用他學到的：把握現在、從過去中學

習、設法創造未來。

這讓他得到相當棒的回報。他在工作上的表現相當優異，贏得了跟他一起共事的同仁的尊敬，也都能充滿自信地處理大部分的工作。

有一天，年輕人參與了公司的預算會議。他知道公司目前的產品銷售業績在下滑。經濟不景氣，但他又不得不承認其他幾家對手不惜用物美價廉的產品進行促銷。

所以，當財務人員建議全面刪減公司的成本時，他一點都不驚訝。這意味著他們有可能會減少好幾個工作伙伴和一些其他重要的資源。

在會議當中，他專注著事情的進展。他聽到有人說銀行建議公司至少刪掉一年昂貴的研發支出，那是最快的省錢方式。很多與會的人都認爲這個建議很有道理。

但是，有個女同事發表意見，她說這並無法解決眞正的問題。她的想

法跟年輕人如出一轍。

年輕人表達他的意見：『或許我們眞正的問題是，我們現在的產品不如我們的競爭者。如果我們砍掉研發的經費，也許可以在現在省下一些成本。但是，如果我們不好好地投資我們自己，在未來研發出好的新產品，公司本身在往後的幾年可能會遭遇到沒有生意可做的危機。』

他的意見引起熱烈的討論。

幾天後，年輕人在主管的支持下做了一份關於顧客對他們新產品需求的報告。

在敘述可能的新產品的同時，他還描繪出公司未來的美好願景。

接下來的兩、三個月，好幾個同事開始發揮想像力、付諸行動，研發出顧客所希望的新產品。

雖然不是所有的新產品都達到預期的結果，但其中有一個產品獲得非常大的成功，公司的業績又開始蒸蒸日上。

年輕人很慶幸自己學到如何去設法創造未來，因爲他和他的公司都受益良多。

幾年過去了，年輕人已經是個男人。

他繼續跟老人保持聯繫，老人很高興知道男人過得更快樂、更有效率，也更加成功。

男人很享受工作和個人生活。

然而有一天，不可避免的事情發生了。老人過世了。

人們再也聽不到他睿智的聲音。

男人非常震驚，不知該如何是好。

老人的葬禮上，不只是城裡那些重要的名人都有來參加，老人贊助的

俱樂部裡的男孩、女孩也都前來參加。

很多人起身述說跟老人有關的感人小故事。他似乎幫助過許多人。

這男人坐在那裡聆聽，他瞭解到老人是多麼地特出。他改變了多少人的生活。

男人懷疑：『我要怎麼樣才能像老人一樣幫助別人？』

為了尋找答案，男人回到了那個讓他度過快樂童年的地方。

多年以前，他父母就不住在那裡了，他只有在拜訪老人的時候才會回去。

老人的房子空空盪盪，草坪上豎立著一個『出售』的牌子。他的眼睛盯著前廊的鞦韆，老人黃昏時總喜歡待在這裡。

他走上走廊，小心翼翼地坐在鞦韆上，生怕老舊的椅子會斷裂開來。他靠在老舊的木板條上，只聽見鞦韆發出的吱吱嘎嘎。

他仔細思索自己從老人那兒學到的東西。

他現在更懂得處於當下，專注在現在的時刻，專心在目前重要的事情上。

他發現那樣做給了他很大的幫助。

他全心全意投入正在做的事，變得更快樂，當然也更有效率、更加成功。

他把從過去學到的經驗運用到現在，幾乎很少犯同樣的錯誤了。

他發現設法創造未來，是一個可以讓未來變得更好的積極方式。但他覺得自己的行事作風還是得小心謹慎、目標正確，尤其他不再有老人可以依賴。

男人閉上眼睛，緩慢地來來回回擺盪著鞦韆，只專注在現在。他覺得

很平靜。

漸漸地，他彷彿感受到老人的存在。他似乎就在走廊上，坐在他的旁邊。

他甚至可以聽到老人的聲音，重新播放著他們的對話。再一次，他體會到老人言語的智慧，感覺到老人慈悲的溫暖。

他很好奇老人爲何會花這麼多的時間，幫助他和其他的人去瞭解『禮物』的奧秘。

老人有許多的事要做。爲什麼偏偏選擇花時間在跟別人分享『禮物』，而不是在追求自己的事上面？

男人繼續來來回回地擺盪鞦韆，閉著眼睛，全神貫注在思考這些問題上。慢慢地，答案開始清晰地浮現出來。

老人做這些事，是因爲他有一個超越個人利益的目的。他的目的，也

你不只知道要『做什麼』，還要知道『為什麼』。

『有目的』的工作和生活，才是面對每天生活的實際態度！

就是他每天早上起床的原因：就是要幫助別人變得更快樂、更有效率和更成功。

老人知道自己做的每一件事，目的爲何。

不管是分享自己所瞭解的『禮物』、帶領公司的會議，或是和家人、朋友一起享受休閒時光，老人都帶著這個目的在工作、生活。

而且，就是這個目的感，將現在、過去和未來聯繫在一起……賦予他工作和生活意義。

男人張開雙眼。就是這個！就是這條線把全部串連在一起。

『禮物』就是賦予你工作和生活意義的禮物。

男人伸手搆到他的筆記本，然後寫下：

活在現在、從過去學習、設法創造未來，並非全部。

除非你帶著目的感去工作和生活，認眞做好現在、過去和未來

重要的一切，所有的一切才會因此有了意義。

男人停下來，看著他剛剛寫下的文字，思考著這些文字的意義。他瞭解到擁有目的指的不光是知道要去做什麼，還要知道爲什麼。有目的的工作和生活，指的不是要有什麼偉大的構想或是人生的計畫，而是面對每天生活的實際態度。

不管是對自己或是對他人來說，它意味著，每天起床都清楚的知道自己的所作所爲意義爲何。

在明白之後，他記下了筆記：

你該採取什麼樣的行動，
取決於你的目的為何。

當你想要更快樂、
更有效率時，
就是你該好好把握現在的時刻。

當你想要現在比過去更好，
就是你該好好從過去學習的時刻。

當你想要未來比現在更好，
就是你該好好設法創造未來的時刻。

當你帶著目的
生活和工作，

認真面對目前最最重要的事，

你就更有能力，
領導、管理、支持別人，
成為更棒的朋友和愛人。

男人明白，少了老人這個良師益友的指導，他得去創造他自己的未來。

男人懷疑自己是否知道得夠多。

想到這裡，他笑了起來。他知道老人會怎麼說：

男人懂得夠多，擁有得夠多，能力已經夠多了。就趁現在吧！

有些人選擇在很年輕的時候收到他們的『禮物』。其他的人選擇在他們中年時，還有些人是在他們非常老的時候。甚至有些人從來都沒有收到過。

男人擺盪著鞦韆，他決定把思緒拉回到當下。

他發現了他自己的目的。他想要跟別人分享他所發現的！

他覺得既開心又成功。

仔細想想何謂成功，他知道這對不同的人代表各種各樣不同的意義。

成功也許是擁有更平安的生活；工作做得更理想；和家人朋友共享更

有質感的生活；獲得升遷；身體狀況良好；賺更多的錢；或者只是簡單地做個正直的人去幫助他人。

藉著老人曾經教過他和他自己學習到的經驗，他明白：

更成功就是成為一個
更能充分發揮自己能力的人。

我們每個人都會各自找出
更成功的意義為何。

男人知道怎麼運用所學，幫助其他人每天的工作和生活可以更好。這眞的很簡單，他想。現在滋養著他，過去學到的經驗幫助著他，未來的目標引領著他。

靠著在當下努力認眞，他變得更有效率、更成功。

他專注在目前重要的事情上面，也能夠即時發現和處理遇到的機會和挑戰。他更知道怎麼去感謝他的同事、家人和朋友。

他也知道自己只是個凡人，不可能永遠把持好自我，隨時處於當下。他有時可能會迷失。但，那個狀況發生時，他會提醒自己，只要他希望自己更快樂、更有效率，就回到現在。

『禮物』會永遠在那裡等著他。不論在何時，他都可以把這個禮物送給自己。

男人決定寫下他所學到的要點。

他決定要把它放在書桌前面，隨時提醒自己。

The Present

要點 善用禮物

禮物

運用此時此刻的三個方法

讓你樂在工作和生活，就從現在開始！

把握現在

當你想要更快樂和更有效率

專注在現在對的事上面。認真努力在現在最重要的事。

從過去中學習

當你想要現在比過去更好

審視過去所發生的事。從中學習有價值的事。

用不同的方式面對現在。

設法創造未來

當你想要未來比現在更好

想像美好的未來樣貌。制定一個實際的計畫。

現在就付諸行動讓美夢成真。

瞭解你的目的

探索可行的方法

讓你的工作和生活更有意義

接下來的幾年，男人一次又一次地運用他學到的東西。

他發現自己並非總是可以好好地把握住現在，但靠著善用『禮物』，讓今天的他更快樂、更成功，它已成了他生活中越來越重要的部分。

男人會因著遇到的狀況不同，隨時不斷地調整自我。他越來越懂得掌握每件事。

他得到相當多次的升遷。

最後他成爲公司的領導人物，一個深受周圍朋友敬重的人。和他相處會讓身邊的人感覺更有活力。有他在的時候，他們覺得自己變得更好。

他似乎比別人更懂得傾聽，去參與解決問題，早在別人之前就看到問

題的解決之道。

他的個人生活裡，建立了一個充滿愛的家庭。老婆、小孩和他互相關心著彼此。

在很多方面來說，他已經變得很像那個他所尊敬的老人。

男人很樂於跟他人分享他所發現的『禮物』。

他知道很多人很喜歡這個故事，並從中學到東西，儘管有些人什麼也學不到。

他明白，這是理所當然的，因爲每個人有每個人的選擇。

某天早上，一群新進員工聚在男人的辦公室裡。他有個親自歡迎所有新進員工的傳統。

有個年輕女子注意到這張標題爲『禮物』，裱裝好的卡片，然後說：

『我可以請教您一個問題嗎？爲什麼要把這張卡片放在桌上？』

這是一份世界上最特別的『禮物』，

可以讓你變得更快樂、更有活力、更成功！

『喔，這個啊，』他回答，『卡片上寫的東西，是我從一個非常值得尊敬的人那裡聽到的故事，那是一個充滿啓發和實用的故事。內容是關於如何享受你的工作和生活。這些文字從廣義上來說，是幫助你在今天更快樂、更有效率和更成功。當你懂得如何善用它時，它會幫你瞭解自己的人生目的。

『我發現這對我的幫助眞的很大。所以我把它擺在身邊，隨時提醒自己奉行這個讓我受惠良多的觀念。』

這群人裡有好幾個也開始注意起這張卡片。

『我可以看看嗎？』年輕女子問。

『當然可以啊。』

男人將裱裝好的卡片遞給她。

年輕女子慢慢地看著它，然後傳閱。

看過這張卡片之後，年輕女子說：『這對我現在遇到的問題好像很有

幫助。』

她把這張裱裝的卡片交還給他的時候，她說：『我們可以聽聽這個故事嗎？』

這群人圍在會議桌旁，男人跟他們分享了『禮物』的故事。之後，他們熱烈的討論如何將『禮物』運用在他們的工作和生活上。在他們離開之前，他把放在辦公桌上的卡片影本分給他們。

過了幾個月，男人注意到有些新進員工似乎懂得如何去擁抱『禮物』，在工作上有非常優異的表現。但有些人對卡片的內容還抱持著懷疑的態度，或是乾脆把它擺在一邊置之不理。

有一天，那個問起『禮物』這個故事的年輕女子，又來到他的辦公室。

她現在承擔了更多的工作責任，表現得非常突出。『我只是想謝謝你跟我們分享「禮物」的故事。』她說：『我把那張卡片放在身邊，常常會

把它拿出來看。它真的是相當寶貴。』

然後她離開了男人的辦公室。

後來，女子將這個故事分享給她的家人、朋友和同事。許多聽到這故事的人都得到相當大的成長，他們所處的公司也同樣受惠。

男人很開心看到他從老人學到的東西可以幫助下一代。

幾十年後，這個男人快樂、富足、備受敬重，他自己也成了一個老人。

他的小孩都已經長大成人，也有了屬於自己的家庭。他的老婆成了他最好的朋友和最親密的伴侶。

雖然他已從公司退休，『禮物』還是持續不斷地提供他充沛的活力，他和他的老婆慷慨地投身社區活動。

有一天，一對年輕夫婦帶著他們的小女兒搬到他們那條巷子。不久，他們到他家來拜訪。

小女孩去找『這個老人』的時候，特別喜歡聽他說話。她覺得和他在一起很有意思。他是個相當特別的人，雖然她也說不出個所以然來。他似乎很快樂，和他在一起，讓她覺得更快樂，覺得自己變得更好。

『是什麼讓他這樣特別？』她很好奇。『爲什麼一個人這麼老，還可以這麼快樂？』

有一天，她問老人這個問題。老人笑了。然後跟她說了『禮物』的故事。小女孩高興地跳了起來。

就連小女孩跑去玩耍的時候，老人還可以聽到她大喊：『哇！希望有一天會有人給我一個……』

禮物！

就是現在！
收下這份屬於你的、
獨一無二的禮物！

After The Story

在說完故事之後

比爾說完故事之後，麗姿笑著說：『哇，這正是我需要的。』

她思考著這個故事，安靜了好一會兒。

然後她說：『你可能注意到了，我記了好多筆記。的確，這裡面有許多東西值得我好好的想一想。

『我喜歡專注在現在所發生的事，而且希望從現在就開始獲益！

『我總是認爲成功就是最後的結果。但，瞭解這點也很有幫助，就是每天都只單純地往你目前認爲最重要的事情前進，你會變得更有效率、更成功，每天往前邁進一點點。成功不需要一蹴可幾。循序漸進，反而讓事情變得更容易。

最後她說：『比爾，謝謝你跟我分享這個故事。』

然後她說：『我想我會試著將這些觀念付諸實行，看看在我身上會發生什麼事。在那之後，我們可以再聊聊嗎？』

比爾同意。『那是當然的。』

『很高興跟你見面。』麗姿說。閒聊了一些有趣的事之後，她就離開了。

她走了以後，比爾很好奇他的朋友從這個故事得到了些什麼。

他得耐心等些時候才會知道囉。

然後，有一天早上，在每週的小組會議之後，比爾發現有人在他的語音信箱裡留言。是麗姿打來的。

『比爾，你什麼時候有空跟我一起吃午飯？』

過了幾天，比爾一進到餐廳，發現麗姿早就在那裡等他了。她看起來一點也不疲憊，也不焦慮——恰恰相反。他說：『麗姿，妳看起來氣色很好。最近怎麼樣？』

她笑了。『記得你跟我說的那個「禮物」的故事嗎？』

他點點頭。『當然記得。』

『在那之後發生了許多事，我等不及要跟你說了。

『那天跟你吃過中飯之後，我發現比起我們當年一起共事時，你改變了許多——變得更好了！

『所以，即使帶著一些疑惑，我仍然忍不住去想這個故事的內容，因爲它很明顯地在你身上起了很大的作用。

『我很喜歡那個眞正去好好享受工作和生活的想法。

『在工作了幾天之後，我又想到這個故事。

『我都快被我主管逼瘋了。我工作過度，超級疲憊，她還是不斷逼我們去改行銷企劃案，那些我不認爲需要改的東西。而且我們的工作量已經很重了，她這樣加重我們的負荷令我很不滿。

『她一直說經濟和市場在變動啊，我們得學著去適應如何如何。但我一點都聽不下去。

『這根本就是老生常談，她以前就說過了。她說老早就該提出一個新

的行銷企劃案了，不容易被市場所淘汰。可是這次，她竟然還說我仍停留在我舊有的成功裡，緊握著過去不放。

『我的第一個反應是對她說的話充耳不聞，因爲我有一堆其他的案子要去做。

『但我想到故事裡的老人說過的話：「你可以從過去學習，但眷戀過去是不智之舉。」我開始好奇地去想，我是不是在那裡待得太久了——在過去。

『而且我也太過憂慮未來了——我根本一點準備也沒有。』

她笑著說：『我想我已經花太多時間在每個地方上，除了現在！

『總之，我認眞地思考了這個故事，尤其是最後的那個部分。』

『哪個部分？』比爾問。

『就是那個男人體會到把握現在的意思是，明白你現在的目的，然後認眞地去實行。

『我剛開始並不是很瞭解。但我發現自己每隔一段時間都會停下來自問：「我現在的目的是什麼？我要做什麼才能實現它？」

『我回家後，把那份我爲了讓自己更容易理解而重寫過的筆記拿出來看。還加了一些我可以活用的方法，然後開始試著去做。

『第一次是我早上在家準備好要去上班的時候。早餐的時候，我的小兒子老想要引起我的注意，但我常常都會用「我在忙」來搪塞他。

『但，當我一專注在現在，瞭解到我在那個時刻的目的是要做一個好媽媽，我便能夠給我兒子他所需要的關注——全心和他在一起。我認眞地去聽那些對他來說很重要的事，就在那個時刻。這讓我和我的兒子都快樂多了。我眞的很享受現在。

『眞的很奇妙，你只要付出小小的心力，全心投入在現在，那一整天都能有很大的改變。』

比爾笑了。

麗姿又說：『我很驚訝這個故事會有這麼大的效益，不只幫助了我，還包括其他那些聽到我說這故事的人。』

『其他的人？』比爾問。

『嗯，比方說，有一天，我們的一位明星業務員看起來情緒很低落，我就建議他一塊兒喝杯咖啡。

『我問他是什麼事困擾他，他抱怨他的佣金還不到去年同期的一半。我問他爲什麼，他說了一些像是：「現在的市場糟透了。在這樣的環境，根本沒人可以把東西賣出去。」

『然後他越說越激動，他告訴我：「我的主管認爲我不能創造以往的業績是因爲我太懶散了。我簡直不敢相信。我去年幫公司賺了那麼多錢，難道這一點價值都沒有嗎？」』

麗姿說：『所以我跟他說了「禮物」的故事。那是三個多星期以前的事。前幾天，他笑容滿面地走到我的座位旁。我問他：「什麼事這麼開

心？」

『「我剛弄到一個大訂單！」他興奮地說。我們聊了一會兒。他說他做得比之前好多了，因爲他學到要放開過去，好好把握現在。

『他說每次想到以前賺那麼多的錢，現在賺這麼少的錢，他就生氣，連他的客戶也察覺到了。

『「現在我只要看到客戶臉上出現的那種難看的表情，」他說：「我就會在心裡記下我那時的念頭——通常是我今年的業務比去年難做之類的問題。

『「然後我問我自己，我現在的目的是什麼？我有認眞去達到業務額嗎？有提供讓客戶滿意的服務嗎？

『「每每這樣一想，我就會有所覺悟，瞭解到我自己憂慮和關心的事，對他們來說一點都不重要。我瞭解到當我知道自己的目的就是要完成客戶的需求時，我就變得更有效率。

『「我拋開過去，全心投入在現在，專注在立即滿足客戶的需求上——除此之外沒了。我一這麼做——可不是嗎！——生意就一個接一個來了。」』

麗姿繼續說：『他發現到他只需要盡全力做好今天的工作就好了。那才是他可以眞正掌握的。

『他說那每天都給了他很大的幫助，眞的很神奇。

『然後他說，他一想通了這一點，壓力馬上就解除了。他體會到的下一件事，就是他又再度享受工作的樂趣了。

『他眞的從這個故事記下了許多筆記——至少是以他可以記得的方式——然後把它們貼在辦公室的牆上！我都看到了！』

比爾看著麗姿，面帶微笑。『眞的是很棒，』他說：『妳還有跟其他人分享「禮物」的故事嗎？』

『當然有！』麗姿繼續說。

『我工作上最好的朋友，前一陣子經歷了一場可怕的離婚。她被傷得很重，也讓她感到很憤怒，相對的，影響了她的工作，耽誤了好幾個案子，她還常常掛病號，這讓她的主管相當困擾。

『有天晚上，我去她家。我們聊了很久，最後我跟她說了「禮物」的故事。

『隔了幾天，我的朋友在我桌上放了一個碗。她跟我說，只要她沒有處在當下，開始回頭去想離婚的事，想到她對她前夫的憤恨，她就會到我的辦公室，放一塊美金在這個碗裡。

『她說如果她沒再放錢在這個碗裡，我們就可以出去吃頓飯了。她笑了；她相信這一定夠付一頓豪華的晚餐。

『剛開始的幾個禮拜，她每個小時都會過來，要不然就是每次來丟個一、兩塊，或是三塊美金，她讓自己陷在過去那些時光，或是想著如果當初怎樣就不會怎樣的情緒裡。但漸漸地，錢增加的速度開始變慢。然後，

這個禮拜，不可思議，碗裡竟然沒收集到半毛錢。

『前幾天她跟我說，只有讓她實際地看到自己浪費多少時間和金錢沉浸在過去裡，她才會瞭解到這樣做對她的傷害有多大。

『她沒辦法專心工作，她的朋友已經聽膩她的抱怨，她的精力已經用盡。

『她的所作所爲好像故意讓自己沉溺在受害和憤怒的情境裡，阻止她往前走和改善現狀。

『她說她從過去學到得越多，就越能放開過去，更能專注在享受現在。

『她說她發現對她特別有幫助的，就是讓她懂得珍惜現在所擁有的——即使是一些小事——再來就是在今天描繪出未來美好的樣貌。

『她甚至學著去創造屬於自己的未來。

『以前，一天結束時，她總是又累又憤怒。現在，她下班開車回家

時，就想像著她回到家時有什麼想馬上做的事。

『在她下車踏進家門前的那個時刻，她開始想像在接下來的幾個小時她要做些什麼。然後，她知道自己不會再被報紙或電視分散注意力，而是把全部的心思都花在家人身上。

『她發現自己更放鬆享受家庭生活，成爲一個慈愛的好媽媽。

『她說這對她眞的很有用。她的孩子都快樂多了，也幫了她很多。她很驚訝在家是這麼棒的事。』

麗姿說：『我的朋友在工作上的表現也有進步。很多人都注意到了她的改變，尤其是她的主管。

『她今天早上到我的辦公室說：「看起來我們下禮拜就可以去享受大餐了，我請客！」』

比爾說：『麗姿，這眞的是太棒了。』

『的確是。』麗姿回答。

然後她又說：『我跟我老公說我和同事的工作和生活都有很不錯的進展，這些全都得歸功於「禮物」。

『我老公，』她繼續說：『老是擔心家裡的開銷，像是雙胞胎的大學學費，即使他們現在才五歲而已。

『他一直想著怎麼樣才能升遷，賺更多的錢，這樣我們才能買更大的房子。他很擔心以後我們沒錢退休。

『我很喜歡他這麼有責任感，爲家人著想。但我也看到他硬是扛在肩上的那種無形壓力，雖然他自己都沒有察覺。

『我一直想告訴他「禮物」的故事，但後來還是決定等到他自己想聽的時候再跟他說。

『有一天晚上，他說想聽聽這個故事。所以我倒了一杯他最喜歡的紅酒，然後跟他說了這個故事。

『我不確定他是不是有認眞在聽。但我一說完，他就說：「我最喜歡

故事裡設法創造未來那部分。」

『我很驚訝他說：「我喜歡那三個步驟：看到美好的未來樣貌、制定一個計畫，然後在今天開始行動讓美夢成眞。」

『不久，他建議：「我們星期六早上騰出時間，開始來規劃我們的未來財務計畫吧。」

『我當然同意，然後說：「那我們也從今天開始，一起記錄我們的收支狀況，還有一些你覺得我們需要記下的事。」他看起來好像很滿意這個主意。

『那個週末，我們規劃財務計畫的過程很棒，是有始以來最棒的。我們好好地想像了一下期望的未來生活是什麼，然後處理好一堆被我們拖延很久遲遲沒有完成的事。我們甚至起了頭去訂定計畫。

『那個星期快結束的時候，我老公走向我，給我一個很大的擁抱。我問他心情怎麼這麼好，他說：「我感覺比以前好多了。」

『他說：「我開始瞭解老人說的了，他說如果你開始創造未來，就會更清楚未來，現在也就不會那麼焦慮了。

『「我發覺自己一直過於擔心未來的事，以至於沒能好好地享受我們擁有的東西——就是現在！

『「我一直拚命努力要賺更多更多的錢。突然之間才明白，即使我年收入百萬美金，還是會有我們買不起或是來不及提前準備的東西。」

『他說他瞭解到他太忙於我們「未來的金錢需求」，太不享受他「現在的家庭生活」。他已經忘了當初是爲了什麼要這麼辛苦的工作。

『他的行爲就好像賺錢是他的目的，而不是用他賺來的錢來愛護支持我們全家。

『他說：「我體會到要更加全心投入每個新的一天，認眞地生活，而不是下一個念頭馬上就想到以後的事。孩子只要看到妳和我快樂地在一起，他們就會很快樂，才不管我們住什麼樣的房子，開什麼樣的車。

『「設法創造未來是很重要的，就像我們上週末開始做的那樣，但我們不該老是活在未來。我知道這個差別在哪裡了。」』

麗姿安靜了一會兒，回想跟她老公經歷的那些回憶。

比爾笑了。然後他問：『妳把同樣的想法運用在工作上有成功嗎？』

『有啊，』麗姿回答。『我們最近拿到一份報告，提到我們其中一個部門的業績嚴重下滑，主要就是因爲之前最受歡迎的一個產品銷售量大減。

『開始有謠言說要刪減預算和裁員，就跟故事裡的情節一模一樣。

『這讓許多人很焦慮，因爲朋友之中會有人因此失去工作，甚至包括我們自己。我問自己可以做些什麼。我知道我們得開發出更新更好的產品。

『我把訊息發出去，要大家腦力激盪，想想要怎麼創造我們產品的未來，後來我們在晨間會議上討論了兩個小時。

『這會議活力十足，討論的時間比我預計的還要久。不過，午休時間之前，終於有了重大突破。

『下午的時候，大夥兒帶了幾個相當不錯的修改案回來。

『我發現有了大家一起創造我們的未來，我們才能逐步完成那些該做的事。然後我才有能力專注在公司現階段的需求上。

『那天結束時，我去看我女兒的夏季聯盟足球競賽。當我在那裡的時候，我專注在現在，專注在她身上，撇開我們未來的產品計畫。那我可以明天再做。

『比賽結束時，我可以跟她在一起，在當下那個時刻，我做到了我從來做不到的事。

『我知道，當下最重要的事永遠在改變，這是當然的。我現在的目的就是貢獻自我在工作上、做個好太太、好媽媽，並在此之間取得平衡點。這讓我在做每件事時都有更清楚的方向。

『我發現如果我全心投入在手邊的事，就會把事情做得更好。

『而且不只是我，我許多工作上的朋友，還有我的家人也學會了要怎麼做得更好。』

比爾問：『妳有跟他們分享妳的筆記嗎？』

『當然有啊！』麗姿回答。『我不只增補了筆記的內容，還寫下我可以記得的故事內容，然後跟好多人分享。

『我得承認不是每個聽到或看到這個故事的人都會從中受惠。我有好幾個同事就沒能從裡面得到什麼幫助。

『但那些有所領悟的人，在工作上的表現都進步很多，給我們公司帶來相當正面的影響。』

麗姿建議：『也許你可以回公司親自看看。』

比爾說他很想好好拜讀她寫的筆記，也會盡快找時間去她的辦公室看看。

麗姿看著手錶，發現她得回去上班了。她拿起帳單，然後說：『比爾，謝謝你跟我分享「禮物」的故事。它眞的幫我更加享受工作和生活！』

『麗姿，別這麼客氣，』比爾說：『我很高興妳把這個故事應用得這麼好。

『更高興的是妳體會到，只要有越多的人懂得專注於現在的生活和工作上，對他們自己、家人和公司就越有好處，就像妳自己發現這點的時候一樣。』

『這個嘛，』麗姿說：『這是個很棒的啓發和實際指導的藍圖。

『今天就開始善用「禮物」，你會變得更快樂、更成功，直到它變成你生活的一部分。

『我一定會把它更常運用到公司裡。當你發現什麼好用的東西，你就會想盡快讓更多的人一起來享用。』

她又說：『當人們更快樂、更有效率時，不管是在工作上還是家庭裡，這對大家都有好處。

『我要去跟別人分享這個故事。』

比爾笑著說：『我之前認識的那個「懷疑論者」，到哪裡去啦？』

麗姿回笑過去，說：『也許她剛送了她自己一個……』

禮物!!!

想要得到更多資訊……

不論是個人或是團體，
若想獲得更多有關『禮物』的產品或服務資訊，
請參觀以下的網站：
WWW.THEPRESENT.COM

The Present is ‘THE PRESENT’!!

馴服懶豬狗

馬可・馮・穆西豪森◎著

『懶』得有方法，人生無往不利！
徐玫怡・黑立言・黃明堅・游乾桂・
彭懷真強力推薦！

每個人的心裡都有一頭懶豬狗，牠總是在我們要『下定決心』的緊要關頭出來搗蛋。只有想辦法對付懶豬狗，才不會讓它爬到你頭上！運用本書，不但能讓你的懶豬狗甘心聽話，甚至可以化阻力為助力，讓懶豬狗幫助你更輕鬆地完成目標，無往不利！

一切從減

維納・堤契・區斯坦
羅塔爾・塞維特◎合著

金石堂暢銷排行榜第一名！德文版熱賣逾35萬冊！韓國熱賣32萬冊！日本暢銷 24 萬冊！

什麼都想、什麼都要，什麼都捨不得、什麼都放不下，你每天過著『繁』夫『瑣』女的日子，已經快要受不了？本書從雜物、財務、時間、健康、人際關係、兩性關係以及自我等日常生活的七大層面著手，教你從減開始，享受純度百分百的快樂生活！

OMA！一分鐘道歉

The One Minute Apology

肯・布蘭查＆瑪格麗特・麥可布萊德◎著

●化危機為轉機！把扣分變加分！懂得道歉的力量，才是真正的贏家！

●暢銷書《誰搬走了我的乳酪？》作者史賓賽・強森博士◎專文推薦

●尹乃菁・周玉蔻・徐光宇・陶傳正・趙少康・戴勝益◎聯合推薦

一個解決你問題的神奇字眼——『OMA』！

這是一段小小的旅程，旅程開始於一位年輕人的大困擾，原因是他敬佩的總裁犯下錯誤卻不自知，讓公司陷入了空前的危機。這時年輕人想起父親生前提過的『一分鐘經理人』可以扭轉乾坤，於是他決定前往求助，也因此踏上了這段改變生命的探索之旅。而解決一切問題的答案，都將在年輕人的旅程結束時揭曉……

國家圖書館出版品預行編目資料

禮物 / 史賓賽・強森(Spencer Johnson)著；莊靜君譯.
‥初版‥臺北市；平安文化，2005【民94】
面 ；公分,‥ (平安叢書；第263種)〔UPWARD；11〕
譯自：The Present
ISBN 957-803-511-X （精裝）
1.生活指導 - 通俗作品

177.2 93023365

平安叢書第0263種
UPWARD 11

禮物 The Present

作　　者—史賓賽・強森
譯　　者—莊靜君
發 行 人—平雲
出版發行—平安文化有限公司
台北市敦化北路120巷50號
電話◎02-27168888
郵撥帳號◎18420815號
香港星馬—皇冠出版社(香港)有限公司
總 代 理　香港灣仔告士打道88號19樓
電話◎2529-1778　傳真◎2527-0904
出版統籌—盧春旭　版權負責—莊靜君
編務統籌—金文蕙　外文編輯—梁若瑜
責任編輯—丁慧瑋　行銷企劃—江孟穎
美術設計—王瓊瑤　印　　務—林莉莉・林佳燕
校　　對—鮑秀珍・黃素芬・丁慧瑋
著作完成日期—2003年
初版一刷日期—2005年02月
初版十刷日期—2005年07月

讀者服務傳真專線◎02-27150507
皇冠文化集團網址◎www.crown.com.tw
電腦編號◎425011　ISBN◎957-803-511-X
Printed in Taiwan
本書特價◎新台幣199元 / 港幣67元